KB177991

할 말은 하고 살게 1

(개정판)

목 차

프 롤 로 그

언젠가는 세상에 할 말을 시원하게 내뱉었고, 또 언젠가는 그러지 못했다. 할 말을 시원하게 할 때면 남들과 세상을 바라보는 시선이 다르다는 이유로 사람들은 나를 불편하고, 특이한 사람으로 생각했다. 그러나 할 말을 하지 못할 때면 스스로는 불편했지만 평범하게, 있는 듯 없는 듯 살 수 있었기에 내 삶은 그 언저리에서 늘 줄타기했다.

이 책에는 누군가와의 관계, 여성으로 사는 삶, 그리고 코로나19 상황의 삶 등 나의 경험과 하고 싶은 이야기를 최대한 솔직하게 담았다. 솔직해서 어둡고 아픈 이야기도 있고, 여전히 움츠려 있는 내 모습도 군데군데 있다. 하지만 '할 말은 하고 살게'라고 결심하게 된, 지금의 내가 될 수 있게 한 과정이 담겨 있다.

처음 이 책을 기획할 때, 나의 이야기를 글로만 풀어내면 끝이라고 생각했다. 하지만 한 자 한 자 써 내려가며 보니 큰 돌덩이 하나를 안고 살아가는 기분이었다. 그리 길지 않은 삶에서 이렇게 웅크리고 살아야 할 필요가 있나 싶었다. 이 책을 쓴 후에도 당장 할 말을 당당히 하고 사는 사람이 될 자신은 없다. 하지만 이런 과정을 거치며 점차 내 이야기를 속 시원하게 밖으로 내뱉는 날이 올 것이라 믿는다.

그리고 작은 바람이 있다면 나처럼 이 책을 읽은 누군가도 할 말은 하고 살 수 있는 용기를 가질 수 있기를 바란다. 한 명의 투사가 되어 거리에 나가서 시위하자는 것이 아니다. 단지 각자의 삶 속에서 드러내고 싶은 감정과 말, 행동을 하고 살아갈 수 있게 되길 바란다. 여전히 우리 사회는 개인의 목소리를 무시하는 경향이 있다. 여성뿐 아니라 개인의 목소리를 내는 것을 특이하거나 불편하게 여기지 않고, 자신의 권리를 찾는 당연한 일이 되길 바란다.

마지막으로 첫 책을 내는 데 도움을 주신 전정순 님, 안림 님, 오조용 님께 감사를 표한다. 이 책을 읽기로 마음먹은 이들이 오늘 하루도 평안하길 바라며.

황 주

나는 또 한 명의 아무개와
연락을 끊었다

나는 또 한 명의 아무개와
연락을 끊었다

캄보디아에서 일할 때 나는 매년 정기 휴가로 한국을 찾았다. 그 해에도 어김없이 한국에 들어왔고, 주변에 소식을 알리기 위해 SNS에 게시물을 올렸다. 그리고 그 무렵 “또 어디 가?”라는 문자를 한 통 받았다. 오랫동안 연락이 없던 아무개였다. 아마도 나의 SNS를 보고 연락한 듯했다. 어떤 안부 인사도 없이 멋대로 하는 질문을 들으니 순식간에 기분이 상했다. 하지만 혹여나 나의 오르락내리락하는 감정 기복 때문인가 하여 “인스타그램 보고 그러는 거냐?”고 되물었다. 그러나 “엥?”이라는 답변이 돌아왔다. 그 순간 확실해졌다. 이 기분의 원인은 나의 감정 기복 때문이 아닌 상대방의 무례함 때문이라는 것을. 결국 나는 “그렇게 친한 사이도 아니면서 다른 사람의 인생에 대해서 툭 물어보는 거 기분이 좋지 않다. 그래서 더는 연락하고 싶지 않다.”고 내뱉고 말았다.

이런 일이 처음은 아니었다. 그동안 아무개는 종종 그런 식의 연락을 해왔다. 몇 차례는 그러려니 하는 마음으로 연락을 주고받았지만 좋은 대화라는 느낌을 받은 적은 단 한 번도 없었다. 나의 답변에 "인연을 이렇게 쉽게 생각하는 줄 몰랐고, 적어도 너와 친하다고 생각했다. 이렇게 연락을 하는 사람 입장에서는 용기가 필요했다는 걸 알아주면 좋겠다."며 서운함을 드러냈다. 깊은 내면에서 온갖 감정적인 말이 튀어나왔다.

"대체 네가 뭔데 나에 대해서 멋대로 판단하고 말하는 거야? 뭐가 궁금한 건데? 내가 잘 지내는 게 진짜 궁금한 거야? 매번 심심해서 그냥 툭 건드려 보는 건 아니고?"

하지만 연락을 끊을 사람과 실랑이하고 싶지 않아 최대한 감정을 억누른 채 말했다. 너의 물음은 무례하게 느껴져서 싫다고 재차 말하며, 내가 전하려고 하는 바를 이해하지 못하는 네가 안타깝다고 말했다.

나의 대답 후 아무개는 지금까지 연락이 없다.

나는 정말이지 다른 사람의 인생에 갑자기 끼어들어 무례하게 툭툭 던지는 질문이 끔찍이 싫다. 오래 연락을 하지 않았던 사이인데 갑자기 연락해서 자기 멋대로 지레짐작하며 질문을 던지는 것은 무슨 태도란 말인가. 안부를 먼저 묻는 게 예의 아니던가.

심지어 나는 “잘 지내?”라는 안부 인사도 썩 좋아하지 않는다. 잘 지내지 않아도 잘 지낸다고 답하는 관습적인 대답이 싫다. 그런 질문보다는 “어떻게 지내?”라는 질문이 다정하게 느껴진다. 사소한 안부라도 상대방에 대한 관심과 애정이 묻어난 질문이 좋다.

20대 중반에는 내가 살면서 상처를 준 사람들에게 연락해 용서를 구한 적이 있을 정도로 모든 관계를 지키고 싶었다. 하지만 한번 어긋난 관계는 이미 시간이 흘러 다시 돌이킬 수 없었고, 나의 노력에도 불구하고 관계를 회복할 수 없었다.

그 후 지금까지 적어도 다섯 명 이상과 관계를 끊었다. 대체로 아무개처럼 나에게 무례한 질문을 던지거나 선을 넘는 태도를 보이는 사람들이었다. 오랜 친구도 예외는 아니었다. 그 사람과의 대화가 더는 즐겁지 않고, 시간 낭비로 느껴지면 관계가 소원해지는 것은 시간문제였다.

결국 사람을 끊어내고 관계를 정리하는 일은 무례하고, 선을 넘는 태도와 말로부터 나를 보호하기 위한 최소한의 방어막을 만드는 일이었다. **관계 바구니가 있다면, 다 담지도 못할 바구니에 관계를 꾸역꾸역 담아 흘러넘치게 두는 것보다 흘러넘치는 관계를 과감히 정리하게 되었다.**

혹자는 사람이 재산인데 꼭 그럴 필요가 있느냐고, 그러다간 주변에 사람이 없어질지도 모른다고 걱정스러워한다. 하지만 관계를 정리하면서 인간관계에 대한 고민은 이전보다 현저히 줄어들었고, 삶의 방식은 더 명확해졌다. 내가 좋아하는 사람에게 더 집중하면서 삶에서 나누어야 하는 깊고, 소중한 이야기들을 할 수 있게 되었다. 종잇장같이 얇은 관계, 곧 끊어질 관계에 매달리지 않고, 쓸모없는 에너지를 소비하지 않게 되었다.

다른 이에게 이런 방식을 강요하고 싶은 생각은 없다. 다만 관계에 지치고, 힘든 사람이라면 한 번쯤은 내가 맺고 있는 관계를 돌아보길 바란다. 내게 중요하지 않은 관계에 끌려다니고 있지 않은지, 나의 에너지를 낭비하고 있지 않은지를.

선물 받지 않을 권리

선물 받지 않을 권리

관계를 정리한 후, 나의 생활 방식은 더욱 미니멀해졌다. 본래도 소비를 즐기지 않았지만 가치관이 확고해지면서 좀 더 미니멀한 생활 방식을 추구하게 되었다. 이미 있는 물건을 오래 쓰며 꼭 필요하지 않은 물건이라면 최대한 소비를 지양하기로 마음먹었다.

하지만 미니멀하게 살기 위해 노력하다 보니 곤혹스럽고, 어려운 일이 생겼다. 바로 누군가 성심성의껏 준비한 선물을 거절하는 일이다.

캄보디아에서 오랫동안 지내다 한국으로 이사를 했을 때 많은 사람이 선물을 보내왔다. 집에 필요한 각종 물건을 다이소에서 한 아름 사 온 사람, 그림을 그려 보낸 사람, 평소 쓰지 않던 각종 식기류부터 탈취제, 방향제, 이불을 내어준 사람까지.

넓지 않은 인간관계에도 선물을 보내주는 사람들에게 감사했지만 반대로 처치 곤란인 물건 앞에서는 퍽 당황스러웠다. 여행용 가방 하나에 들고 온 내 짐은 이미 다 정리했건만 이사 선물 중 내게 쓸모없는 물건은 그대로 장롱에 방치되었다. 내 취향과 맞지 않거나 평생 쓰지 않을 만한 물건이 눈앞에 보이니 스트레스가 쌓였다. 친구에게 자초지종을 이야기했더니 무슨 스트레스까지 받느냐며 인복이 많으니 좋게 생각하라는 대답만 돌아왔다. 하지만 스트레스에 시달리며 쓸모없는 물건을 이대로 보고만 있을 수는 없는 노릇이었다. 물건이 방치된 서랍을 여닫으며 며칠을 고심한 끝에, 과감히 선물을 돌려주기로 했다. 선물해 준 사람에게는 정성을 다해 감사의 표현을 하고, 나의 가치관을 설명했다. 그리고 당신이 가져온 선물을 가져가 달라고 부탁했다. 누군가는 택배비가 더 나온다며 주변에 필요한 사람에게 나누어주라고 했고, 누군가는 들고 온 선물을 고이 다시 품에 안고 돌아갔다.

그런데 이보다 더 곤혹스러운 상황이 있다. 회사에서 맺는 어쩔 수 없는 관계, 동료가 선물을 줄 때다. 이전 회사에서 무엇이든 나누어주기를 좋아하는 동료가 있었다. 본인은 이미 많이 있으니 가지라며 매일 선물을 주었다. 그녀의 선물 목록은 대개 화장품, 과자류, 비누 등이었다. 대부분 괜찮다고 거절했지만 나의 이야기는 들은 체 만 체했고, 참다못한 나는 결국 그녀의 선물 중 내게 필요하지 않은 물건을 차곡차곡 모아두었다가 정중히 거절하며 돌려주었다. 그러자 “공짜인데 그냥 가져가지.”라는 답이 돌아왔다. 게다가 왜 네가 가지고 싶은 물건만 가지려고 하느냐며 볼멘소리를 냈다. 정중히 말을 이어가던 나는 결국 입을 닫았다.

그녀가 서운하다고 솔직한 감정을 표현했더라면 오히려 이해할 수 있었을지도 모른다. 나 역시도 예전에 상대방이 선물을 마음에 들어 하지 않을 때면 서운했던 경험이 있었으니 그 감정은 충분히 헤아릴 수 있다. 하지만 저런 투의 말은 선물이 아니라 자신이 가지고 있는 쓰레기를 남에게 떠넘기는 태도로밖에 보이지 않았다. 그 일이 있고 난 뒤, 그녀는 내게 어떤 선물도 하지 않았고 나는 다행스러운 마음이 들었다.

이런 일을 수시로 겪다 보니 최근에는 선물을 주고받는 나름의 노하우가 생겼다. 내 성향을 아는 사람은 내게 필요한 물건이 무엇인지 먼저 묻는다. 혹은 상대방이 선물하겠다고 하면 내가 먼저 무엇을 선물할지 묻거나 필요한 물건을 말하기도 한다. 선물은 남을 기쁘게 하는 목적이 있으니, 비밀이라고 하는 이들도 있다. 그럴 땐 혹여 네가 준 선물이 쓰레기가 될 수 있으니 말해달라며 조르거나 정중히 거절한다.

선물할 때도 마찬가지다. 상대방에게 내가 할 선물이 필요한지 먼저 묻는다. 선물이니 상대방이 당연히 받아야 하는 것으로 여기지 않는다. **선물은 주는 이에겐 가치 있을 수 있지만 받는 이에겐 전혀 쓸모없을 수도 있고, 상대방의 삶을 어지럽힐 수도 있다.**

선물은 주는 이도, 받는 이도 즐거울 때 비로소 의미가 있다고 생각한다. 그 의미를 깨지 않고, 선물을 주고받을 수 있어야 하지 않을까. 원치 않은 선물은 당당히 거절하고, 원하는 물건이 있다면 당당히 말할 수 있길 바란다. 내가 원하지 않는 선물을 받고 싶지 않다고 말하는 게 뭐 대수인가! 또 내가 원하는 선물을 달라고 하는 게 뭐 그리 대수라고!

나이가 같아야 친구인가요

나이가 같아야 친구인가요

어릴 적부터 부모와 의미 있는 대화를 나눈 경험이 없다. 뿌리 깊이 박혀 있는 가부장 제도는 우리 집에도 남아 있었고, 아빠의 훈계와 같은 일방적인 대화가 전부였다. 훈계가 끝나고 나면 아빠는 할 말을 해보라고 했지만 내 의견은 대체로 묵살했다. 이런 환경에서 자라다 보니 언젠가부터 타인과의 관계에서 내가 하고 싶은 말을 꺼내기 힘든 사람이 되었고, 관계를 맺는 일이 두려워졌다. 결국 두려움은 결핍이 되어 내 인생에서 풀어야 할 커다란 숙제로 남았다.

캄보디아를 비롯해 해외에서 생활할 때, 50대, 60대인 친구, 10대인 친구 등 나이와 상관없이 친구를 맺었다. 서로 다른 나라에서 살아온 사람들과의 대화는 흥미로웠고, 유쾌했다. 이전과는 다른 방식으로 관계를 맺으면서 그동안 맺었던 관계에 대해 생각했다. 우리나라에서는 나이가 같은 친구를 제외하고 가족 관계, 학교생활, 회사 생활까지 수직적인 관계를 맺고 있었다. 가족 관계에서는 동생, 언니, 오빠로 지칭하며 호칭에 따라 자신의 역할을 다하고 있었고, 학교, 회사에서도 마찬가지로 선배나 팀장은 지시하고 후배나 팀원은 군말 없이 따르는 경직된 분위기 속에 생활하고 있었다.

그 외의 상황에서도 다르지 않았다. 사회생활을 시작하며 새로운 모임에 참석할 일이 잦아졌다. 그런데 그곳에서도 만나자마자 나이부터 물어보거나 혹은 출신 학교, 출신 지역부터 물어보는 사람이 대다수였다. 간단한 소개 후 서열이 정해져 누군가는 연장자 역할을 하고, 누군가는 연소자 역할을 했다. 자연스럽게 서로의 출신 학교와 출신 지역이 뇌리에 박혀 때로 ′아, 고대 나온 애, 혹은 창원 출신′이라고 누군가를 지칭하기도 했다. 학교나 회사에서 맺는 관계와 별다르지 않았고, 서로에 대해 알아가기도 전에 두터운 편견을 가지고 관계를 시작해 나는 금세 흥미를 잃었다.

나는 오랫동안 이런 관계가 아주 불편했다. 나이나 출신을 물어보면 밝히기 싫다고도 에둘러 표현했다. 하지만 돌아오는 건 비아냥거림과 핀잔뿐이었다. 그럼에도 나이나 출신 학교, 출신 지역으로 관계를 맺는 방식이 불편해 종종 잠이 오지 않는 날이 있을 정도로 불쾌감을 떨칠 수 없었다.

그래서 나는 최근 몇 년간 해외 생활의 경험을 바탕으로 조금 다른 방식으로 관계를 맺고 있다. 바로 ‘수평어 문화’를 토대로 관계를 맺는 방식이다. 수평어 문화란 나이, 출신 지역, 대학교를 떠나 존댓말이든 반말이든 서로 같은 형태의 언어를 사용하는 것이다. 호칭 역시 서로 상의 후에 ~님, ~씨, ~선생님처럼 서로 동일한 호칭을 사용한다. 나이가 많다고 해서 반말을 사용하고, 나이가 적다고 해서 존댓말을 사용하는 우리나라 문화와는 다른 방식이다. 수평어 문화로 관계를 맺으면 깊은 관계를 맺기 어려울지 모른다고 생각할 수 있지만 오히려 친밀감은 높아지고, 서로를 존중하면서도 사람 간에 지켜야 할 적당한 거리를 유지할 수 있다. 또 첫 만남부터 학교, 지역으로 상대방을 색안경을 끼고 보지 않을 수 있어 서로의 관심사나 취향을 자유롭게 나눌 수 있다.

처음에는 일일이 수평어 문화에 대해 설명하기가 번거롭기도 했다. **그러나 시간이 지날수록 나이, 지역으로 맺는 관계가 아닌 조금 더 깊은 관계를 위한 서로 간의 작은 규칙을 만든다고 생각하니 의미 있는 과정이 되었고, 지금은 우리나라에서도 다양한 연령대의 사람과 친구를 맺고 있다. 그리고 이전에 비해 관계를 맺고, 대화하는 일이 조금은 즐거워졌다.** 이제 내 주위에는 내가 전혀 흥미를 두지 않는 부동산 이야기, 주식 이야기 대신 흥미로운 대화가 흘러넘친다. 날아가는 새, 피어 있는 꽃, 책 한 권, 영화 한 편, 연필 한 자루를 보고도 오래 대화가 가능하고, 삶이 위태로울 때 지혜를 구할 수 있는 사람들이 있다.

현대를 살아가는 많은 사람이 관계에 대해 어려움을 겪고 있다. 회사 생활, 가족 관계, 친구 관계 모두가 물 흐르듯 쉬운 사람은 없다. 그럴 때, 자신에게 어울리는 관계 맺는 방식을 하나쯤 찾아보면 어떨까. 어떤 방식이든 좋다. 다만 나이, 출신 지역 등과 같이 틀에 박힌 방식이 아닌 새로운 나만의 방식을 찾아보기를 권한다. 당신의 주위에 더욱 따뜻하고 소중한 이야기가 가득하길.

항상 옳은 것은 아니다
부모라고

부모라고 항상 옳은 것은 아니다

망설였다. 이 이야기를 책에 담아야 할는지를. 나의 치부가 만천하에 드러날까 두려웠다. 책을 내기로 마음먹고 목차를 정리하는 순간에도 스스로에게조차 숨겼다. 진짜 가족 이야기는 꺼내본 적이 없기에 더욱 그랬는지도 모르겠다. 하지만 지금이 아니면 할 수 없을 이야기라 생각했고, 토해내지 못하고 죽는 것보다 낫지 않을까 하는 심정으로 쓰기로 했다.

20대 무렵부터 힘든 날이면 종종 이상한 꿈을 꾸었다. 아빠가 나를 아주 어두운 곳으로 끌고 가서 너 같은 건 죽어도 마땅하다며 바위에 내 머리를 찧는 꿈이었다. 평소 다른 사람들에게 우리는 꽤 단란해 보이는 부녀지간이었다. 하지만 정작 아빠와 나는 자주 으르렁대고 싸우거나 아빠는 불같이 화를 내고, 나는 서럽게 울었다. 그 모습이 우리의 현주소였기에 꿈은 현실을 반영한 그저 '꿈'일 뿐이라 생각했다.

그런 이유로 나는 어떻게든 집을 벗어나고 싶었다. 20대 초에는 국내 여행을, 20대 중반부터는 인도, 베트남을 짧게 돌아다녔고 스물아홉부터는 완전히 독립해 캄보디아에서 살기 시작했다. 떨어져 있으니, 집보다 마음이 훨씬 편했다.

하지만 트라우마를 직면하는 일이 일어났다. 회사에서 팀원과 대화를 나누던 중 팀원이 나에게 자신의 불만을 이야기하며 고성을 질렀다. 나는 다리가 풀려 그 자리에 주저앉았고, 한동안 멍한 상태로 가만히 있었다. 패닉 상태였다. 잠시 후 아빠가 내게 고성을 지르던 모습이 떠올랐고 왈칵 눈물이 터져 나왔다. 팀원들에게 우는 모습을 보이기 싫어 화장실에 앉아 울음을 토해냈다. 그 후 한동안 떠오르지 않던 그 꿈이 다시 시작되었다. 현실과 꿈이 헷갈릴 정도로 점점 선명해졌다.

얼마 지나지 않아 회사를 그만두었고, 한국에 돌아와 꿈에 관해 물었다. 아빠에게 물어볼 용기가 나지 않아 엄마에게 물었다. 꿈의 내용을 전하고, 꿈의 이유를 밝혀주기를 바랐다. 엄마는 주저하며 고등학교 무렵 아빠가 나를 아주 많이 때렸던 적이 있다고 했다. 큰 결심을 하고 질문했음에도 불구하고 이야기를 듣는 순간, 판도라의 상자를 연 기분에 도망치고 싶었다. 엄마의 이야기에 비로소 온몸이 멍 자국으로 가득했던 내 모습이 떠올랐다. 내게, 바로 나 자신에게 이런 일이 일어났을 거라는 의심은, 분명 내게 일어났던 것이 틀림없다는 확신으로 바뀌었다.

마음을 정리할 시간이 필요하다는 핑계로 제주에 한 달만 지내다 오겠다고 했다. 그런 사건이 한 달 안에 정리될 거라는 야무진 바람은 실현되지 않았고, 나는 일 년이 넘게 제주에 있다. 일 년 동안 나의 트라우마와 싸우느라 무던히 애썼다. 정신건강의학과를 다니고, 아빠와 관련된 트라우마를 꺼내 글을 적고, 용기를 내어 아빠에게 편지를 쓰기도 했다. 하지만 엄마는 공황장애가 있는 아빠가 편지를 보면 안 된다며 편지를 숨겼다. 딸의 상황은 뒷전인 채, 당신 남편의 공황장애만 중요한가 보다 싶었다. 몇 달이 지나도 돌아오지 않자 결국 엄마는 아빠에게 나의 이야기를 전하며 나에게 사과하라고 했다. 하지만 아빠는 사과는커녕 한참 지난 일을 왜 이제 와서 꺼내는지 모르겠다며, 잘못된 행동을 해서 때렸고 나를 위한 체벌이었다며 오히려 엄마를 타박했다. 왜 이제 와서 유난을 떠느냐는 투의 말에 어디서부터 말을 이어가야 할지 숨이 턱 막혔다.

단순히 하나의 사건으로 아빠에게 사과를 바라는 것이 아니다. 돌이켜 보면 아빠는 내가 원하지 않는 것을 끊임없이 강요했다. 내가 원하지 않던 성형수술을 하라고 강요했고, 나의 진로를 멋대로 정하려 했다. 늘 나를 위해서라는 핑계와 고성으로 나의 자유를 빼앗았다. 벗어나려 몸부림쳤지만 그럴 수 없는 상황이었고, 나의 자존감이 짓밟히는 순간의 연속이었다. 아빠의 그 말 한마디로 당분간 집에 돌아가고 싶은 마음이 완전히 사라졌다.

물론 아빠와 즐겁고, 고마운 기억도 꽤 있다. 내가 어릴 때 아빠는 일이 바쁜 와중에도 내가 먼저였다. 자주 몸이 아팠던 나에게 도움이 되는 치료나 약이라면 물불을 가리지 않았다. 그것이 지나쳐서 내가 아무것도 할 수 없는 사람이라는 생각에 무기력해질 때도 있었지만 부모의 책임을 다하기 위해 노력한 일은 고마움을 표하고 싶다.

그러나 본인의 잘못에 대해 사과하지 않는 태도는 도무지 이해되지도 않을뿐더러 이해해서는 안 되는 상황이라고 생각한다. 부모라고 해서 당신의 행동이 항상 옳은 것은 아니지 않은가. 늘 본인의 행동이 옳다고 강요하는 아빠가 이제는 넌덜머리가 난다. 아무리 부모와 자식 간이라도 본인이 잘못한 일이 있다면 사과해야 하지 않을까. 당신의 잘못을 인정하지 않는 사람이 나의 부모라는 사실이 나를 더 무력하게 만든다.

여전히 아빠를 떠올리면 숨이 막힌다. 이 매듭을 어디서부터, 어떻게 풀어야 할는지 아득한 안개 속에 갇힌 기분이 든다. 나의 뿌리인 사람과의 관계가 엉망진창이니 다른 일 앞에서도 쉽게 풀썩 주저앉게 된다. 할 수 있다면 연을 완전히 끊고 싶기도 하다. 하지만 그렇게 한다고 해서 나의 트라우마가 사라지거나 '아빠'라는 존재를 부정할 수 없기에 더욱 망설여진다.

다른 이들에게 '할 말은 하고 살게'라고 당당히 말하며, 아빠에게 당당하게 말 못 하는 내가 한심해 보인다. 이 글을 쓰고 갑자기 아빠를 마주해서 하고 싶은 말을 하겠다고 할 자신은 없다. 하지만 내가 세상에 내뱉는 말이 쌓여 조금 더 단단해진 후에 언젠가 아빠에게도 이야기를 전하고 싶다. 나와 같이 가족 간의 관계에서 큰 돌덩이 하나를 안고 사는 모든 이들이 오늘 하루도 평안하기를 바라며. 우리 모두 나를 아프게 했던 누군가에게 할 말은 하고 살 수 있게 되길 바라며 글을 마친다.

포기할 줄 아는 용기

포기할 줄 아는 용기

'포기'와 '용기'라는 단어는 극단에 서서 서로를 팽팽하게 잡아당기는 느낌이다. 얼핏 전혀 어울리지 않는 단어처럼 보인다. 그래서일까. 사람들은 포기할 줄 아는 용기를 "그게 무슨 용기냐"라는 식으로 폄하한다. 무언가를 포기한 후에는 실패했다는 좌절감에 휩싸일 뿐, 용기라고 생각하지는 않는다.

그렇지만 포기도 진정한 용기라고 생각한다. 포기의 반대어로 여겨지는 도전하는 용기를 우습게 본다는 뜻은 아니다. 다만 포기하는 용기에 대해서도 한 번쯤 생각해 보면 어떨까.

캄보디아에서 지내는 동안 책임이 막중한 자리에서 일한 적이 있다. 일을 시작하고 2개월 후부터 감당하기 어려운 상황에 놓였다. 업무를 하는 데 있어 나의 결재가 필요한 일이 수두룩했고, 인사 관리도 함께해야 하는 상황이었다. 주변 사람들에게 고민 상담을 요청했지만 모두 조금 더 견디라는 대답

뿐이었다. 단기간에 판단할 수 없는 일이었기에 시간이 지나기만을 바라며 버텼다. 하지만 시간은 해결해 주지 않았고, 점점 더 구렁텅이로 빠졌다. 4개월을 끙끙 앓은 끝에 모두의 만류에도 불구하고 일한 지 6개월 만에 회사를 그만두었다. 회사 상사 역시 두 번 정도 나를 만류했지만 나의 말을 듣고 놓아주었다.

"아침마다 눈을 뜨기 싫어요. 이런 마음가짐으로 일한다면 나에게도 좋지 않지만 나와 일하는 이해관계자들에게도 좋지 않을 거예요. 죽고 싶지만 버티는 삶은 이 정도면 충분해요."

결정한 후에도 마음이 편하지 않았다. 주변에서는 왜 그런 자리를 그만두었냐고 핀잔 섞인 걱정을 하거나 괜찮은지를 수없이 물었고, 또 수없이 괜찮을 거라고 위로했다. 그들은 위로였을지 모르지만 실패한 사람으로 낙인찍히는 기분에 더 아팠다. 그리고 다시 한국으로 돌아왔다. 한국에 와서 쉼을 가지긴 했지만 머릿속은 캄보디아와 NGO로 가득 차 있었다. 게다가 "언제 다시 캄보디아로 돌아가는데?"라는 사람들의 질문은 더욱 기름을 부었다. 그들은 언제나 나를 다시 캄보디아로 돌아갈 사람으로 생각하고 있었다. 누군가는 명확하게 내 길이 있다는 것을 부러워했지만 나는 오히려 불안했던 마음에 사람들의 걱정까지 떠안은 기분이었다.

결국 무언가에 홀린 듯 다시 캄보디아에 가기로 했고, 캄보디아 사람들과 함께 할 수 있는 일을 지원했다. 합격 소식을 받았지만 기쁘기보다 초조했다. 엄마에게도 틈만 나면 “가지 말까?”라고 물었고, 엄마의 대수롭지 않은 “안 하면 뭐 하려고?”라는 대답만 공기를 맴돌았다.

그렇지만 이왕 합격했으니 시작은 해보자는 마음으로 캄보디아로 떠나기 전 진행하는 합숙 교육에 참여했다. 하지만 2주 후, 자진 퇴소를 했다. 1주 차에는 잠을 거의 자지 못했고, 그 후에는 매일 울기에 바빴다. 함께 교육을 받았던 동기들은 떠난다는 기대감에 들떠 있었지만 나는 전혀 그렇지 않았다. 다시 돌아가면 잘할 수 있을까 하는 걱정스러운 마음이 점점 불안함으로 번져 그들을 바라보고 있는 것조차 고통스러웠다. 짧은 기간이었지만 치열하게 아팠고, 그제야 나는 아직 준비되지 않은 사람임을 받아들였다. 또 한 번 실패자가 되어 완전히 길을 잃고 나락으로 떨어져 허우적거렸다.

그런데 퇴소할 때 함께 지낸 룸메이트들이 “이건 단순한 포기, 실패가 아니라 새로운 너의 삶을 위해 떠나는 거니 응원한다.”는 말을 건넸다. 이상하게도 그 말 한마디에 마음속에 맺힌 응어리가 풀어지는 기분이었다. 실패자가 되었다며 자책하던 마음이 사라지고, ‘용기’라는 단어가 떠올랐다.

무언가를 포기할 때는 도전하는 것만큼이나 치열하게 고민한다. 어쩌면 포기한 후에 다가올 절망, 불안, 주변의 따가운 시선을 안고도 포기한다는 것은 도전할 때 보다 더 큰 용기가 필요한 일인지도 모른다.

삶에서 누구나 한 번쯤은 무언가를 포기하는 경험이 있다. 그럴 때 대다수는 실패했다는 감정에 휩싸여 위축되어 있게 마련이다. 그러나 이제는 자신이 포기하기 위해 고민한 시간과 노력을 떠올려 보면 어떨까. **실패가 아닌 용기, 내게 맞지 않는 것을 버려나가는 과정이라고 생각한다면 우리는 포기할 줄 아는 용기에 한 걸음 더 다가갈 수 있을 것이다.** 오늘도 무언가를 포기한 이들에게. 기꺼이 용기를 낸 당신에게 박수를 보내며.

블루클럽에 가는 여자

블루클럽에 가는 여자

싱가포르 여행을 마치고 공항 여자 화장실로 들어가는 길이었다. 쇼트커트를 한, 키가 180cm는 족히 되어 보이는 사람의 뒷모습이 보였다. 남자가 왜 여자 화장실에 들어가는 걸까 싶었다. 하마터면 마음의 소리가 입 밖으로 나올 뻔했지만 다행히 마음속으로만 했다. 볼일을 보고 손을 씻으려는데 그 사람의 모습이 거울 속으로 비쳤다. 아무래도 이상해 힐끔 거울로 쳐다보니 여자였다. 그것도 내가 본 사람 중 쇼트커트가 가장 잘 어울리는 사람. 편견과는 거리가 먼 사람이라 생각했는데 단순히 머리가 짧다는 이유로 남자일 것이라고 넘겨짚은 내가 무척 실망스러웠다. 그러나 실망스러운 마음과는 별개로 불쑥 쇼트커트를 하고 싶은 마음이 들었다. 나와 잘 어울릴지는 모르겠지만 거울로 쳐다본 그녀의 모습에 매료되어 쇼트커트를 한 나를 상상했다.

한동안 그녀의 모습이 머릿속에서 지워지지 않았다. 쇼트커트를 하고 싶은 마음도 덩달아 꿈틀거렸다. 결국 몇 달을 고민한 끝에 쇼트커트를 해버렸다. 내가 싱가포르 공항 화장실에서 그랬던 것처럼 나를 힐끔 쳐다보는 시선이 불편했지만 여자의 짧은 머리에 익숙하지 않은 이들에게는 그럴 수 있는 일이라 생각했다. 게다가 스스로 거울에 비치는 모습이 만족스러웠고, 무엇보다 가벼워진 머리에 적응하니 다시 예전으로 돌아가고 싶지 않았다.

쇼트커트를 하고 6개월이 지났다. 쇼트커트의 매력을 알아버린 나는 더 가벼운 투블럭이 하고 싶어졌다. 여자가 즐겨 하는 머리 스타일은 아니었기에 어디에 내 머리를 맡겨야 할지 꽤 고민스러웠다. 커트 실력이 좋은 곳으로 가고 싶었다. 검색하던 중 집 근처에 '남성 전문 미용실 블루클럽'이 눈에 띄었다. 블루클럽은 이미 오래전부터 알고 있었지만 여자인 나에게는 생소한 곳이라 검색을 해보았다. 블루클럽은 여성 위주의 운영에 부담을 느낀 젊은 남성을 공략하기 위해 만든 미용실이었다.

이번에는 '블루클럽 여자 커트'로 검색을 해보았다. 여자가 블루클럽에 다녀왔다는 이야기는 어디에도 보이지 않았다. 네이버 지식인에 여자로 추정되는 사람이 남긴 글만 있었다. "여자가 블루클럽에 가도 되나요?" 답변은 "왜 굳이 거기에 가려고 하는 거죠?"라는 핀잔뿐이었다. 마치 대꾸할 가치도 없는 일이라는 느낌이었다. 왠지 모를 호기심과 반항심에 댓 글을 보자마자 블루클럽에 가야겠다는 마음이 들었다. 그리고 남자들은 대부분 짧은 커트 머리를 하니 실력도 꽤 좋을 것이란 생각이 들어 블루클럽에 내 머리를 맡기기로 했다.

막상 가려고 마음을 먹고 나니 설렘과 두려운 마음이 동시에 들었다. 어릴 때 집 아래층에 이용원이 있어 그곳에서 종종 머리를 자른 경험은 있지만 성인이 되어서 가보는 것은 처음이라 어찌해야 할 바를 몰랐다.

점심을 먹으러 가는 길에 미용실을 염탐했다. 미용실에 있는 한 남자 미용사와 눈이 마주쳤다. 나도 모르게 놀라서 문고리를 잡고 들어가려다 뒷걸음질을 쳤다. 아무래도 오늘 일정을 마무리하고 다시 와야겠다 싶었다. 용기가 나지 않아 지인들에게 용기를 얻기 위해 연락을 했다. 당당히 들어가서 "머리해 주세요!"라고 말하라는 사람, "뭐 그 정도의 걸 겁내!"라고 하는 사람, 의미 있는 도전이라고 응원의 말을 해주는 사람까지. 애초에 내가 하는 짓을 말리지 않을 지인들에게 연락했지만 말리는 사람은 정말 아무도 없었다.

저녁에 다시 블루클럽을 찾았다. 이번에는 확실히 문고리를 잡고 들어가려는데 다른 여자 손님이 눈에 띄었다. 여자 손님이 있는 모습을 보니 한결 마음이 놓였다. 문을 당당히 열고 들어가 "여기 커트 되나요?"라고 물었다. 미용실에는 여자 손님의 머리를 만지고 있는 여자 미용사와 남자 손님의 머리를 자르고 있는 남자 미용사가 있었다. "네, 잠시만요."라고 여자 미용사가 대답했다. 아주 일상적인 미용실의 풍경이었다. 그럼에도 남성 전문 미용실이라는 생각 때문인지 여전히 긴장이 풀리지 않았다. 미용실 공기에 익숙해지기 위해 노력했다. 오락기가 눈에 띄었다. 생각 같아서는 오락기 앞에 앉고 싶었지만 그럴 용기까지는 나지 않았다. 어색함을 뒤로한 채 이곳저곳 사진을 찍었다. 탁자 아래를 보니 여자를 위한 금액도 따로 적혀 있었다. 여자 미용사가 하던 일을 끝내고서 나에게 자리에 앉으라고 했다. 투블럭을 하겠다고 하자 무슨 일이 있느냐고 묻는다. 쇼트커트를 할 때와 같은 반응이다. 퉁명스럽게 "그냥 하고 싶어서요."라고 대답했다. 이런 과도한 오지랖은 늘 불편하다. 손님을 쫓아낼 생각도 아니고, 여자가 투블럭을 하는 일이 흔하지는 않겠지만 그냥 좀 해주면 안 되는 건가. 여자 미용사는 나의 퉁명한 말투에 미안했는지 걱정돼서 그랬다며 바리캉을 들고 머리를 밀기 시작했다. 바리캉 소리가 편안하게 들렸다. 갈갈갈. 순식간에 투블럭이 완성되었다. 쇼트커트보다 두 배는 더 가벼워진 느낌이었다. 계산을 하고 블루클럽을 걸어 나왔다.

블루클럽에 가는 것은 낯선 공간에 가는 두려움에 더해 남자가 여럿 있는 공간에 가는 두려움도 극복해야 하는 일이었다. 남자와 관련된 지난한 문제에 노출된 여자에게는 남자가 여럿 있는 공간에 간다는 것만으로도 두려운 마음이 든다. 그런데 그것을 이겨낸 기분이 들어 왠지 묘한 뿌듯함이 밀려왔다.

또 쇼트커트와 투블럭을 하며 사람의 외모에 따라 쉽게 성

별을 단정 짓는 시선을 마주할 수 있었다. 머리 모양새 하나만 평범한 여자의 틀에서 조금 벗어났을 뿐인데 사회의 시선과 편견이 어떤지 쉽게 경험할 수 있었고, 나의 편견을 반성할 수 있는 계기이기도 했다.

블루클럽에 다녀온 후 친구가 다시 갈 것이냐고 물었다. 자신은 없지만 그럴 것이라고 했다. 친구가 웃으며 “단골 되겠는데?”라고 했다. 그리고 나는 1년째 블루클럽에 다니는 단골손님이 되었다. 이제 여자 미용사와는 인사도 주고받고, 사는 이야기도 종종 하는 사이가 되었다. 첫날에 앉아보고 싶었던 오락기에 앉아 게임도 했다. 처음의 어색함과는 달리 주변의 시선에 신경 쓰지 않고 블루클럽 문을 당당하게 열 수 있게 되었다. 혹여 이 글을 보는 여자 독자 중에 블루클럽에 가고 싶은 마음이나 쇼트커트나 투블럭을 해보고 싶은 마음이 생겼다면 주저하지 말고 지금 당장 해보기를 권한다. 이번에는 내가 당신의 싱가포르 공항에서 만난 여자가 되어줄 테니.

생리 한탄 대회

생리 한탄 대회

어김없이 한 달에 한 번씩 다가오는 생리. 오늘도 으레 그렇듯 생리를 시작했다. 생리하기도 전에 감정의 동요는 이미 시작된다. 성격상 가지고 있는 감정 기복에 기름이라도 들이부은 듯 감정의 폭이 널뛴다. 언제 생리가 시작될지 마음을 졸이며 기분은 더 종잡을 수 없다. 생리가 시작되면 한 달에 한 번씩 보는 생리혈임에도 여전히 낯설다. 내 몸에서 배출되는 피인데 꼭 내 것이 아닌 느낌이다. 또다시 시작이라는 생각이 들어서인지 기분도 착 가라앉는다. 어떤 날은 몸이 얻어맞은 듯 심하게 아프기도 하다. 그뿐이랴. 다른 날에 비해 잠도 많아지고, 체력도 반 토막이 난다. 안 그래도 부족한 체력에 반 토막이 난 체력이라니. 거의 산송장처럼 다니는 셈이다.

그리고 이놈의 생리 주기는 또 어쩌란 말인가. 생리 주기가 제멋대로일 때면 그야말로 난감하다. 삼십 년 이상 함께한 몸뚱이라도 이럴 때는 도무지 예측이 어렵다. 컨디션에 따라 한 달에 한 번이 아니라 두 번을 할 때도 있고, 어떨 때는 아예

하지 않기도 해서 발을 동동 구르게 한다. 아마도 자궁을 가진 사람이라면 지금까지 나의 이야기에 어느 정도 공감하지 않을까.

그런데 이런 이야기를 꺼내면 꼭 유별나게 받아치는 족속들이 있다. “생물학적 여성이라면 당연한 일인데, 왜 유난이야?”라고 말하는 사람들이다. 남성 대신 군대나 가라고 하는, 남성은 여성보다 경제적 책임을 많이 지지 않느냐고 말하는 조선 시대에서 튀어나온 것 같은 족속들. 그런 이들에게는 내 자궁을 떼어서 붙여주고 싶다. 한 달에 한 번 거의 반평생을 함께해야 하고, 생각해 보면 매달 일주일 이상을 호르몬의 지배를 받는 셈인데 참 쉽게 지껄인다. 겪어보지 않아 모를 수 있지만 저런 막말하는 인간들에게는 똑같은 경험을 하게 만들고 싶다.

나는 중2 겨울방학 때 생리를 시작했다. 부모님에게 진짜 여성이 되는 거라며 케이크에 촛불을 함께 불며 축하를 받았다. 그런데 어느 날, 생리대를 아무렇게나 손에 들고 다니는 나를 발견한 엄마는 등짝 스매싱을 날렸다. 여성스럽지 못하게 뭐 하는 거냐며 예의를 가르쳤다. 다른 이들 앞에서는 생리한다고 떠벌리지 말라고 했고, 생리대는 꼭 잘 안 보이게 해서 다니라고 했다. 축하한다는 말과 너무 상반된 태도였기에 당황스러웠다. 그러나 주변을 둘러보니 다들 그렇게 행동했기에 그 대열에 합류할 수밖에 없었다.

하지만 정신과 몸이 호르몬의 지배를 받는 힘든 순간에 예의까지 지키라니 화가 났다. 특히 생리를 생리라 말하지 못하고, 그날이라 에둘러 표현하며 당당히 말하지 못하는 것이 의문이었다. 내가 죄를 지은 것도 아닌데 왜! 여성이라면 누구나 겪는 하나의 현상이고, 심지어 생리를 시작했다며 축하까지 받았는데 왜 그래야 한단 말인가. 짜증과 분노를 넘어 이것이 과연 예의인지 의문이 들었다. 예의는 누군가에게 존중을 표하는 말투나 몸가짐을 말한다. 그런데 등짝 스매싱을 맞으며 배운 예의가 누군가를 존중하기 위한 것이 아님은 분명했다. 그저 모두가 쉬쉬하니 따라야 하는 '금기'일 뿐이었다. 사회생활을 시작하며 이런 생각은 점점 더 확고해졌다. 생리통으로 아프다고 하면 여성들도 당연한 일인데 왜 생색이냐고 했고, 생리통임에도 약을 먹으려 하지 않는 나를 유별나게 쳐다보기도 했다. 이런 상황에서 생리 이야기를 꺼내기는 쉽지 않았다. 또 생리 휴가가 생겼지만 요청할 경우 쓸 수 있다는 모호한 법 규정이 있을 뿐 주변에서 생리 휴가를 썼다는 이야기는 들어본 적이 없다.

이쯤 되니 생리하는 게 죄일지도 모르겠다. 하하. 이런 사회 분위기 속에서 조선에서 튀어나온 것 같은 족속들이 활개를 치는 건 어쩌면 당연한지도 모르겠다. 이전보다 사회 전반적으로 성(性) 인지 감수성이 꽤 높아졌다고 하지만 생리한다고 떳떳하게 말할 수 있는 사람이, 생리한다는 것이 자랑스러운 사람이 얼마나 될까. 그래서 나는 오늘, 글에서나마 소심하게 외쳐야겠다. 그리고 같이 외칠 사람들을 모집해 볼 작정이다.

나 오늘 생리해요!!!

미워할 수 없는 이유
코로나를

코로나를 미워할 수 없는 이유

2019년 12월, 중국 우한발 역병이 창궐했다. 21세기, 4차 산업 혁명 시대에 전혀 어울리지 않는 역병은 우리의 일상을 집어삼켰고, 금세 괜찮아질 것이라는 모두의 바람과 달리 2년이 지나도록 우리를 괴롭히고 있다. 코로나19가 장기화되자 지치거나 화가 나 “코로나 꺼져.”, “코로나 미워.”라는 말을 내뱉는다. 나 역시도 좋아하는 일을 할 수 없는 답답함, 코로나19로 인해 힘들어하는 개도국의 친구들을 생각하면 저런 말이 절로 나온다. 심지어 코로나19가 얼굴이 있는 생명체라면 뺨이라도 한 대 때리고 싶어질 지경이다.

하지만 인간이 감히 코로나19에 대해 미움을 표출할 자격이 있는지 생각해 본다. 코로나19는 인간이 살아온 행태와 긴밀하게 연관되어 있다. 중국 사람들이 박쥐, 천산갑 등과 같은 이상한 음식을 먹어서 생긴 전염병이라며 손가락질하고 그치면 좋겠지만, 과연 그럴까. 코로나19는 인간이 좀 더 편리하게 살기 위해 끊임없이 배출하는 온실가스에 따른 기후 위기와 좀 더 많이, 좀 더 빨리, 좀 더 싸게 고기와 우유, 계란을 먹기 위해 도입한 공장식 축산이 긴밀하게 연관되어 있다. 인간이 배출한 온실가스 증가에 따라 지난 100년간 박쥐들의 종과 서식지가 늘어났고, 자연스럽게 박쥐에 기생하는 바이러스의 종류도 100종 이상으로 늘어났다. 많은 바이러스 중 하나인 코로나19가 인간에게 영향을 끼친 것이다. 지구상에서 차지하는 인간의 영역이 갈수록 넓어지면서 야생동물의 영역이 줄어드니 전에는 동물 사이에 퍼졌다가 그 안에서 사그라지던 바이러스가 인간의 영역에도 침범한 것이다. 거기다가 항생제를 맞혀 다닥다닥 가두어놓고 키우는 소와 돼지, 닭의 면역력은 약해질 대로 약해지니 바이러스가 퍼지기에는 최적의 환경이고, 밀집된 공간에 붙어살면서 지내는 인간의 도시는 바이러스가 세력을 확장하기에 이보다 좋을 수 없는 환경인 셈이다.

이런 상황에서도 여전히 코로나19로 인해 마비된 일상에 답답하기만 한가. 코로나19로 인간의 움직임이 멈추자 생태계가 다시 회복되고 있다는 이야기는 어떻게 설명할 수 있을까. 이 이야기는 인간이 지구에서 얼마나 쓸모없는 존재인지를 입증했다. 나 역시도 인간이지만 인간이 멸망하면 지구에 평화가 찾아올지도 모른다는 뜻이다.

그런 가운데 코로나19로 집에 있을 시간이 늘어나다 보니 배달 플라스틱 용기의 소비량이 크게 늘었다는 뉴스를 접했다. 그저 답답함과 바이러스 퇴출에만 혈안이 되어 여전히 정신을 차리지 못하고 있다. 마스크와 사회적 거리 두기로 바이러스를 겨우 막아내고 있지만 안타깝게도 변이바이러스가 등장했다. 과연 그것으로 끝일까. 절대 그렇지 않다고 생각한다. 지금은 마스크 한 장으로 바이러스를 겨우 통제할 수 있는 상황이지만 나중에는 더 큰 대가를 치러야 할지도 모른다. 기후 위기 등의 요인을 막지 못한다면 바이러스뿐 아니라 어떤 형태로든 점차 인간이 살 수 없는 지구로 변해갈 것이다.

이미 10년 후에는 인간이 지구에서 살기 어려운 상황이라고 급진주의자들은 말한다. 그저 미친 사람 취급하며 듣고 있을 이야기는 아니다. 지구에서 인간이 어떻게 살아가야 할지를 깊이 고민하지 않고, 해결하지 않으면 앞으로 더 큰 문제가 기다리고 있을 것이다. 이제 그만 코로나19에 대한 미움은 걷어내고, 우리가 살아온 삶의 방식을 돌아보고 실천해야 한다.

이렇게 말하면, 실천해야 할 방법을 모르겠다고 하는 사람들이 있다. 그런 이들은 실천할 마음의 준비가 되었는지 먼저 돌아봐야 하지 않을까. 코로나19로 인해 플라스틱 배출량도 늘었지만 다행히 환경에 대한 관심도 늘었다. 집 근처에 있는 제로웨이스트 상점이나 여의치 않는다면 인터넷을 통해 제로웨이스트를 위한 상품을 손쉽게 구매할 수 있다. 제로웨이스트 상점에서 물건을 구매하는 것이 능사는 아니지만 환경에 대한 관심의 시작이 될 수 있을 것이다. 또 지구에는 공장에서 새로운 물건을 생산하지 않아도 인간이 쓸 수 있는 물건이 넘쳐난다. 그러니 새로운 물건을 소비하기보다 중고 거래를 이용하는 방법도 대안이 될 수 있다.

부디 무엇을 실천해야 할지 모르겠다고 메아리처럼 말하지만 말고 움직이자. 당신이 좋아하는 음식이 있으면 맛집을 찾아가지 않던가. **환경에 대한 관심이 있다면, 작은 관심이 나에게 미치는 영향을 생각한다면, 자연스레 움직이게 될 것이다.**

할 말은 하고 살게

최근 짧은 회사 생활을 했다. 처음 그 회사에 다니기로 했을 때 채용하는 과정에서 내가 좋아하고, 잘하는 일을 세심하게 살피는 모습에 설렜다. 이미 다른 회사에서 사람보다 일이 먼저인 상황 때문에 상처받았던 일이 있었기에 사람을 존중하는 회사라는 생각이 들어 기대에 부풀었다.

하지만 3개월 후, 기대는 실망으로 바뀌었다. 회사는 한 명을 제외하고 모두 여성이었고, 여성 기업으로 인증을 받은 곳이었다. 그러나 여성 기업이라는 말이 무색한 일이 벌어졌다. 나는 평소 몸이나 외모를 지적하는 것에 대해 매우 민감하다. 그런데 회사에서 나이 차이가 꽤 나는 두 여성 팀장은 나와 다른 직원의 외모를 비교했고, 말도 안 되는 이유를 들먹이며 걸음걸이를 지적했고, 위로한답시고 아무렇지 않게 엉덩이를 토닥였다. 당시에는 별일 아닌 듯 지나갔지만 그런 일들이 켜켜이 쌓여 불편함이라는 감정으로 남았다.

그러던 어느 날, 안에는 반팔티를 입고, 위에는 뷔스티에를 입고 출근했다. 뷔스티에는 얇은 끈으로 된 옷인데, 옷이 헐렁한 탓에 끈이 계속 내려왔다. 일하는 나의 뒷모습을 보거나 나를 마주할 때마다 두 여성 팀장이 번갈아 가며 수시로 끈을 올렸다. 일에 전혀 집중이 되지 않았다. 그 와중에 한 팀장은 웃으며 "끈 좀 올리지?"라며 계속 지적했고, 참다못한 나는 "팀장님이 신경을 안 쓰면 될 일 아닌가요? 제 몸에 손 대지 말아 주셨으면 좋겠어요."라고 화를 냈다. 분위기는 순식간에 냉랭해졌다.

그 일을 계기로 그동안 묵혀두었던 감정이 터져 나왔다. 그리고 내가 느꼈던 불편함은 나의 잘못 때문이 아닌 성희롱임을 비로소 인지했다. 이런 경험이 없었기에 지인에게 조언을 구했고, 회사 대표에게 성희롱 건에 대한 팀장들의 사과와 회사 내 성(性)인지 교육을 정식으로 요청했다. 대표는 두 번 정도 나와 면담했고, 팀장들과 직접 이야기를 나누라고 했다. 이미 성희롱 건으로 문제를 제기한 상황에서 팀장들과 마주하라니. 가해자와 피해자가 마주하지 않는 것은 상식적인 일인데 2차 가해를 생각하지 않는 태도에 이해가 되지 않았다. 대표의 책상에는 늘 페미니즘과 관련된 책이 놓여 있었는데 책이 무용지물처럼 느껴졌다.

나는 재차 대표의 중재 하에 대화하기를 요청했고 마침내 팀장들과 대표, 나까지 함께 마주했다. 이야기가 시작되자 예상과 달리 비수 같은 말이 나에게 쏟아졌다. 회사 대표는 상담 때와는 전혀 다른 태도를 보였다. 중재할 생각이 없어 보였을 뿐 아니라 일개 팀원이 어떻게 회사를 이렇게 취급하는 거냐며 불같이 화를 냈다. 또 팀장들은 자신을 가해자로 내몰았다고 노발대발했다. 나는 그들의 화난 목소리 앞에서 주눅이 들고, 억울함에 몸을 떨며 울었다. 겨우 말을 이어갔지만 쉴 새 없이 내 말을 가로막았다. 게다가 성희롱 건으로 이야기를 시작했건만 나의 업무능력을 들먹였고, 마지막에는 고소하든 말든 마음대로 하라며 협박 투로 끝이 났다.

나는 밤새 잠을 이루지 못했고, 결국 다음 날 퇴사를 요구했다. 같은 공간에서 그들과 일하는 것이 끔찍했다. 작은 회사여서 공간 분리도 어려웠고, 공간 분리를 요청해도 귀 기울여 줄 사람들은 더욱 아니었다. 퇴사를 요구한 당일, 사직서가 수리되었다. 퇴사를 요구하는 자리에서도 대표는 끝까지 고소 여부에만 관심이 쏠려 있었고, 나는 왜 그것을 말해야 하는지 따져 물었다. 이런 일은 왜 항상 피해자가 더 힘든 상황을 겪어야 하고, 끝내 퇴사할 수밖에 없는지 화가 났다.

답답함으로 며칠을 지내다 고용노동부에 진정을 넣기로 결심했다. 진정을 넣고, 고용노동부에 가서 담담하게 진술했다. 담당 주무관은 안타까운 마음을 보이며 이와 같은 가벼운 성희롱 건은 법적 처벌이 불가능하고, 성(性) 인지 교육 권고 조치를 내리고 재발 시 어떻게 조치할 것인지 계획서를 제출하는 정도에서 그친다고 했다. 나는 회사를 그만둘 만큼 커다란 일이었는데 별일이 아닌 듯 치부해 버려 허탈했다.

진술을 마치고 나와 꽤 많이 울었다. 주변 사람들은 그런 말을 할 수 있는 것만으로 용기 있는 일이라고 해주었고, 내가 목소리를 내어준 덕에 다른 사람은 조금이라도 더 나은 세상에서 살 수 있게 될 거라는 위로를 보냈다. 당시에는 누군가의 말보다 나의 억울한 감정에 집중해서 위로가 들리지 않았다. 그런데 시간이 지나고 보니 그날 이후로 비로소 나는 조금이라도 내 이야기를 밖으로 꺼낼 수 있는 사람이 되어 있었다. 비록 여전히 화나는 일이 있을 때면 말과 행동보다는 감정이 앞서는 사람이지만 그런 표현들조차 하지 못하고 끙끙 앓아야만 했던 이전에 비하면 많이 앞으로 나아간 셈이다. **그리고 이 일을 계기로 나를 위해서, 함께 살아가고 있는 이웃을 위해서 할 말은 하고 살아야겠다고 생각하게 되었다.** 당장은 너무 견고해 바꿀 수 없겠지만 시간이 지나 여러 사람의 목소리가 모이면 낙숫물이 바위를 뚫는 날이 오지 않을까.

마지막으로 그 일이 꽤 지났지만 여전히 사과하지 않은 그들에게 사과를 요청하며 글을 마친다.

작가 **황 주**

고양이 봉이씨와 9년째 동거 중이며,
여기저기 집을 옮겨 다니며 산다.
글을 쓰고, 요가를 하며 호기심 많은
꼬부랑 할머니로 늙어가고 싶다.

메일 rashimi87@naver.com
인스타그램 @hwangjoo_writer

할 말은 하고 살게 1 (개정판)

개정판	2024년 1월 29일
글쓴이	황주
그린이	오조용
편집	안림
펴낸이	한건희
펴낸곳	주식회사 부크크
ISBN	979-11-410-6918-6
출판사 등록	2014년 7월 15일 (제2014-16호)
주 소	서울특별시 금천구 가산디지털1로 119 SK트윈타워 A동 305호
전 화	1670-8316
이메일	info@bookk.co.kr

www.bookk.co.kr

ⓒ 황주 2024

본 책은 저작자의 지적 재산으로서 무단 전재와 복제를 금합니다.